KB185142

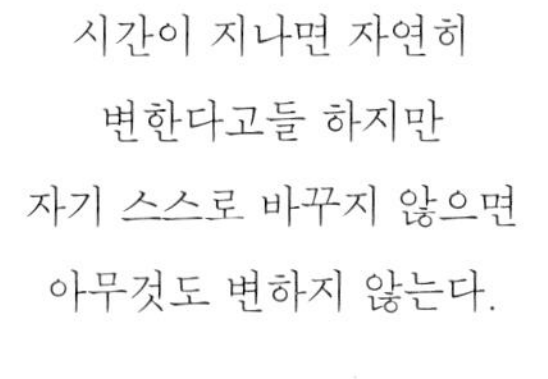

시간이 지나면 자연히
변한다고들 하지만
자기 스스로 바꾸지 않으면
아무것도 변하지 않는다.

– 앤디 워홀*Andy Warhol*

Q&A a day : 5 year journal by Potter Style.

This Korean edition was published by Tornado Media Group in 2015
by arrangement with Potter Style, an imprint of the Crown Publishing Group,
a division of Penguin Random House LLC through
KCC(Korea Copyright Center Inc.), Seoul.

1

{ What is your purpose in life? }

내 삶의 목적은 무엇인가?

20

20

20

20

20

2

Can people change?

사람은 변할 수 있을까?

20

20

20

20

20

3

What are you reading right now?

현재 읽고 있는 글이나 책이 있다면?

20

20

20

20

20

4

{ Is there something you want to discard in your life? }

내 삶에서 가장 결별하고 싶은 것은?

20

20

20

20

20

5

{ What was the last restaurant you went to?
What did you have there? }

가장 최근에 방문한 식당은?
무엇을 먹었는가?

20

20

20

20

20

JAN

6

{ Today was tough because ………………… . }

오늘 하루가 힘들었던 이유는 ………………… (이)다.

20

20

20

20

20

7

{ Do you think you're lucky? How so? }

나는 운이 좋은 편이라고 생각하는가?

20

20

20

20

20

8

What song is stuck in your head?

계속 머릿속에 맴도는 노래가 있다면?

20

20

20

20

20

9

{ Was today typical? Why or why not? }

오늘은 평범한 하루였는가?
그렇거나 그렇지 않은 이유는?

20

20

20

20

20

10

{ Who gave you life-changing advice? }

내 인생을 바꿀 만한 영감을 준 사람이 있다면?

20

20

20

20

20

11

Today you lost ....

나는 오늘 ....을(를) 잃었다.

20

20

20

20

20

12

{ What's your favorite accessory? }

가장 좋아하는 액세서리는?

20

20

20

20

20

13

{ Where do you want to travel next? }

다음에 여행하고 싶은 곳은 어디인가?

20

20

20

20

20

14

Are you a leader or a follower?

나는 이끄는 쪽인가 따르는 쪽인가?

20

20

20

20

20

15

Name one food you can cook with complete confidence.

가장 자신 있게 만들 수 있는 요리는?

20

20

20

20

20

16

Do you owe someone money?
Does someone owe you?

빌리거나 빌려준 돈이 있는가?

20

20

20

20

20

17

{ What's the oldest thing you're wearing today? }

오늘 입은 옷차림 중에서 가장 오래된 것은?

20

20

20

20

20

18

{ Did you have any memorable dreams recently? }

최근 꾼 꿈 중에 인상적인 것은?

20

20

20

20

20

19

{ Is it possible to love only one person for the rest of your life? }

평생 한 사람만 사랑하면서 살 수 있다고 생각하는가?

20

20

20

20

20

20

Are you holding a grudge? About?

앙심을 품고 있는 대상이 있는가?
무슨 일 때문인가?

20

20

20

20

20

21

{ Is there any event
you have been eagerly awaiting? }

몹시 기다려지는 일이 있는가?

20

20

20

20

20

22

{Are you seeking comfort or adventure?}

안전을 추구하는가, 모험을 추구하는가?

20

20

20

20

20

23

Do you need a break? From what?

휴식이 필요하다고 느끼는가?
무엇으로부터?

20

20

20

20

20

24

If you were going to start your own company, what would it be?

만약 창업을 한다면 어떤 일을 하고 싶은가?

20

20

20

20

20

25

What makes "you" you?

무엇이 나를 나답게 만드는가?

20

20

20

20

20

26

Today you needed more ....

오늘 나는 ....이(가) 좀 더 필요했다.

20

20

20

20

20

27

Which art movement best describes you today?
(Surrealism, Modernism or Dadaism)

오늘의 나를 예술 사조로 표현한다면?
(초현실주의, 모더니즘, 다다이즘)

20

20

20

20

20

28

How do you describe home?

집이란 무엇이라고 생각하는가?

20

20

20

20

20

29

What was the last TV show you watched?

마지막으로 본 TV 프로그램은?

20

20

20

20

20

30

Did anything happen today
that you want to forget?

오늘 있었던 일 중에서 지우고 싶은 기억이 있다면?

20

20

20

20

20

31

{ What kind of person do you want to become? }

궁극적으로 어떤 사람이 되고 싶은가?

20

20

20

20

20

1

{What is your resolution for tomorrow?}

내일 무엇을 할 계획인가?

20

20

20

20

20

2

{ Who do you live with? }

누구와 함께 사는가?

20

20

20

20

20

3

{ On a scale of one to ten, how sad are you? Why? }

오늘 하루 슬퍼할 일이 있었는가?
그 강도를 1에서 10으로 표현한다면?

20

20

20

20

20

4

{ Outside, the weather is .... }

지금 밖의 날씨는 ....(이)다.

20

20

20

20

20

5

A friend is ....

친구란 ....(이)다.

20

20

20

20

20

6

{ What would be the greatest job you could think of having? }

가장 위대하다고 생각하는 직업은?

20

20

20

20

20

7

{ What are three things you want to have at this moment? }

당장 갖고 싶은 세 가지가 있다면?

20

20

20

20

20

8

{ What would be the best way to spend 10,000 won? }

만 원을 가장 알차게 쓸 수 있는 방법은 무엇일까?

20

20

20

20

20

9

What time did you go to sleep last night?

어제 몇 시에 잠자리에 들었는가?

20

20

20

20

20

10

{ If this day was an animal, which animal would it be? }

오늘 하루를 동물에 비유한다면?
그 이유는 무엇인가?

20

20

20

20

20

11

{ How did you get to work today?
On foot? By subway? }

오늘 무엇을 타고 출근했는가?
걸어서? 지하철을 타고?

20

20

20

20

20

12

{ What is your biggest obstacle right now? }

현재 나의 꿈을 가로막는 가장 큰 장애물은 무엇인가?

20

20

20

20

20

13

What's your favorite question to ask people?

사람들에게 가장 즐겨하는 질문은 무엇인가?

20

20

20

20

20

14

{ Are you in love right now? }

지금 사랑하고 있는가?

20

20

20

20

20

15

{ Write down the cure for a broken heart. }

상처받은 마음을 치유하는 나만의 방법을 적어보자.

20

20

20

20

20

16

What was the last performance or concert you went to?

마지막으로 가본 공연이나 콘서트는?

20

20

20

20

20

17

{ If you could change something about today, what would it be? }

오늘 하루 벌어진 일 중에서 바꾸고 싶은 게 있다면?

20

20

20

20

20

18

{ What's the most expensive thing you're wearing now? }

지금 몸에 걸친 것 중에서 가장 비싼 물건은?

20

20

20

20

20

19

Who is the craziest person in your life?

내가 아는 가장 정신 나간 사람은 누구인가?

20

20

20

20

20

20

{ What word did you overuse today? }

오늘 지나치게 많이 사용한 말은?

20

20

20

20

20

21

Name three current buzzwords.

요즘 유행하는 말을 세 개만 적어보자.

20

20

20

20

20

22

{ What was your prevailing emotion of the day? }

FEB

오늘 가장 두드러진 감정은 무엇인가?

20

20

20

20

20

23

{ What charge on your recent credit card bill shocked you the most? }

최근 신용카드 결제 내역에서 가장 당혹스러운 항목은?

20

20

20

20

20

24

{ There was too much .... today. }

오늘 .... 이(가) 지나치게 많았다.

20

20

20

20

20

FEB

25

{ Name one thing you hoped for today that didn't happen. }

오늘 하루 간절히 원했지만 얻지 못한 것이 있다면?

20

20

20

20

20

26

{ Name one item you can't throw out. }

절대로 버릴 수 없는 물건을 하나만 적어보자.

20

20

20

20

20

FEB

27

{ Are you solitary or sociable? }

나는 독창적인 사람인가, 받아들이는 사람인가?

20

20

20

20

20

28

{ When was the last time you were sick? }

마지막으로 아팠던 적은 언제인가?

20

20

20

20

20

29

{ Today is an extra day that only happens every four years. How did you spend the day? }

오늘은 4년마다 돌아오는 특별한 날이다.
하루를 어떻게 보냈는가?

20

20

20

20

20

1

Any regrets over what happened today?

오늘 있었던 일 중 후회하는 것은?

20

20

20

20

20

2

{ Is today bitter or sweet? }

오늘 나의 하루는 짠맛인가, 달달한 맛인가?

20

20

20

20

20

3

{ Who did you sleep with last night? }

어젯밤에 누구와 잤는가?

20

20

20

20

20

4

What would you like to ask your mother?

어머니에게 하고 싶은 질문은?

MAR

20

20

20

20

20

5

{ What's your favorite word (right now)? }

(지금 이 순간) 가장 좋아하는 단어는?

20

20

20

20

20

6

{ Who's your nemesis? }

나의 원수는 누구인가?

20

20

20

20

20

7

{ It's not a good idea to experiment with .... }

....................을(를) 실험하는 것은 좋은 생각이 아니다.

20

20

20

20

20

8

{ What's the last song you listened to? }

마지막으로 들은 노래는?

20

20

20

20

20

9

{ A person you wanted to ignore today .... }

오늘 무시하고 싶었던 사람은 ....(이)다.

20

20

20

20

20

10

{ What was the last movie you watched? }

가장 최근에 본 영화는?

MAR

20

20

20

20

20

11

Is there any birthday present you wish you never got?

생일선물로 절대 받고 싶지 않은 것이 있다면?

20

20

20

20

20

12

{ Where do you live? }

어디에 사는가?

20

20

20

20

20

13

{ If you could add one hour to your day, what would you do with it? }

하루에 한 시간이 늘어난다면 뭘 할까?

20

20

20

20

20

14

{ What is the one fact that is undeniable? }

부인할 수 없는 사실은 무엇인가?

20

20

20

20

20

15

{ What do you not want to talk about? }

아무에게도 하고 싶지 않은 이야기가 있는가?

20

20

20

20

20

16

{ What do you want to buy right now? }

지금 당장 사고 싶은 것은?

20

20

20

20

20

17

{ What new activity have you tried? }

오늘 처음 시도해본 활동이 있다면?

20

20

20

20

20

18

What do you pray for?

무엇을 위해 기도하는가?

20

20

20

20

20

19

{ Why do you work? }

나는 왜 일하는가?

20

20

20

20

20

20

{ What did you last read? }

마지막으로 읽은 책은?

20

20

20

20

20

21

{ The first thing you ate today was .... }

오늘 가장 먼저 먹은 음식은?

20

20

20

20

20

22

Jot down a news story from today.

오늘의 뉴스 기사를 하나 적어보자.

MAR

20

20

20

20

20

23

R&B or Pop?

발라드와 댄스 중에 어떤 음악을 선택하겠는가?

20

20

20

20

20

24

{ Any whimsical ideas on your mind today? }

오늘 떠올린 생각 중에 가장 엉뚱한 것은?

20

20

20

20

20

25

{ .... made you laugh. }

....................이(가) 나를 웃게 했다.

MAR

20

20

20

20

20

26

{ What do you think is the most important element when looking for a partner? }

이성을 만날 때 가장 중요하게 생각하는 조건은?

20

20

20

20

20

27

When was the last time
you felt like you were on top of the world?

마지막으로 절정의 행복을 느꼈을 때는 언제인가?

20

20

20

20

20

28

Among what happened today
what do you want to keep as a special memory?

오늘 하루 중 기억에 남기고 싶은 것은?

20

20

20

20

20

29

Jot down any verse from a poem or a song
that matches today.

오늘 하루와 어울리는 시나 노래 구절을 적어보자.

MAR

20

20

20

20

20

30

Pick a color for today.

오늘을 색깔로 표현해보자.

20

20

20

20

20

31

{ What inventions of mankind can you not live without? }

나에게 없어서는 안 되는 인류의 발명품은?

20

20

20

20

20

1

{ What is the biggest lie you have ever told? }

내가 한 거짓말 중에 가장 큰 것은?

APR

20

20

20

20

20

2

{ Do you have a passion you have never expressed? }

남모르게 간직한 열정이 있다면?

20

20

20

20

20

3

{ Did you have fun today? Because? }

오늘 하루 즐거웠는가?
그 이유는?

20

20

20

20

20

4

{ If you could wish for one thing to happen today, what would it be? }

오늘 일어나기를 바라는 일은?

20

20

20

20

20

5

{ What do you eagerly want to do before you die? }

죽기 전에 꼭 하고 싶은 일이 있다면?

20

20

20

20

20

6

{ What was the last take-out meal you ordered? }

가장 최근에 주문한 테이크아웃 음식은?

20

20

20

20

20

7

{ What colors are you wearing? }

지금 어떤 색깔의 옷을 입고 있는가?

APR

20

20

20

20

20

8

{ Name one person you can tell your secret to. }

비밀을 털어놓을 수 있는 사람을 한 명만 꼽는다면?

20

20

20

20

20

9

{ Where do you feel most at home? }

가장 편안하게 느껴지는 장소는?

20

20

20

20

20

10

{ What housework did you forget to do today? }

오늘 빼먹은 집안일은 .... (이)다.

20

20

20

20

20

APR

11

{ What news brought you joy today? }

오늘 나를 가장 기쁘게 한 소식은 무엇인가?

20

20

20

20

20

12

{ Name something new you learned today. }

오늘 새롭게 알게 된 사실을 적어보자.

20

20

20

20

20

13

{ What is your favorite thing to do on a Sunday morning? }

일요일 오전을 행복하게 보내는 나만의 비법은?

20

20

20

20

20

14

{ If you could acquire a talent (without any extra effort), what would it be? }

(노력 없이) 한 가지 재능을 얻을 수 있다면 무엇을 고르겠는가?

20

20

20

20

20

15

{ Which celebrity would you want to interview? }

인터뷰하고 싶은 유명인사는?

APR

20

20

20

20

20

16

{ What's a political issue that interests you nowadays? }

요즘 관심 있는 정치적 이슈는?

20

20

20

20

20

17

{ What is your biggest weakness? }

나의 가장 큰 단점은 무엇인가?

20

20

20

20

20

18

{ Write down a problem you solved today. }

오늘 해결한 문제를 한 가지만 적어보자.

20

20

20

20

20

19

{ Which famous person would you bring back from the dead to have dinner with? }

세상을 떠난 유명인 중에서 저녁식사를 함께하고 싶은 사람은?

20

20

20

20

20

20

{ How many times did you curse today? }

오늘 몇 번이나 욕했는가?

20

20

20

20

20

APR

21

{ How do you respond when someone asks "What do you do"? }

누군가 "무슨 일 하세요?"라고 물을 때 뭐라고 답하는가?

20

20

20

20

20

22

{ You wish you could stop .... from happening. }

절대 일어나지 않았으면 하는 일은?

20 ....

20 ....

20 ....

20 ....

20 ....

23

How would your parents describe you?
(You can call them and ask.)

부모님은 나를 어떻게 생각하실까? (전화해서 여쭤봐도 된다.)

20

20

20

20

20

24

{ Is life fair? Yes? No? Sometimes? Not today? }

인생은 공평하다고 생각하는가? 다음 넷 중에 골라보자.
(공평하다, 공평하지 않다, 가끔 공평하다, 오늘은 아니다)

20

20

20

20

20

25

{ Who do you need to call? }

지금 당장 전화를 걸고 싶은 사람은?

APR

20

20

20

20

20

26

{ How much money do you have in your wallet? }

현재 지갑에 돈이 얼마나 있는가?

20

20

20

20

20

27

{ Are you emotional or logical? }

나는 감성적인 사람인가, 이성적인 사람인가?

APR

20

20

20

20

20

28

If you could live someone else's life
for one day who would it be?

딱 하루만 인생을 바꿀 수 있다면 누구와 바꾸겠는가?

20

20

20

20

20

29

{ Who can you make happier? How? }

내가 행복하게 만들어줄 수 있는 사람은 누구일까?

APR

20

20

20

20

20

30

{ List three words that sum up today. }

오늘 하루를 세 단어로 표현한다면?

20

20

20

20

20

1

{ What is your favorite flower or plant? }

가장 좋아하는 꽃이나 식물이 있다면?

20

20

20

20

20

MAY

2

{ Are you messy or neat? }

나는 깔끔한 사람인가, 지저분한 사람인가?

20

20

20

20

20

3

{ If you could have superpower just for today, what would it be? }

하루 동안 초능력을 가질 수 있다면 어떤 것을 원하는가?

20

20

20

20

20

4

{ When was the last time you went swimming? }

마지막으로 수영을 한 적은 언제인가?

20

20

20

20

20

5

Today was hilarious because ....

정말 신나는 하루였다. 그 이유는 ....(이)다.

20

20

20

20

20

6

{ What makes a good enemy? }

좋은 적이란 과연 존재할까?

20

20

20

20

20

7

{ Who would play you in a movie about your life? }

내 인생을 영화로 만든다면 주인공 역은 누구로 하고 싶은가?

20

20

20

20

20

8

{ What would you like to say to your mother? }

어머니에게 하고 싶은 말은?

20

20

20

20

20

9

Among the things on your to-do list today,
what do you want to postpone?

오늘 해야 할 일 중 미루고 싶은 일은 무엇인가?

20

20

20

20

20

10

{ How did you start your day? }

오늘 하루를 어떻게 시작했는가?

20

20

20

20

20

11

{ What's the most creative thing you've done recently? }

최근에 한 가장 창의적인 일은?

MAY

20

20

20

20

20

12

{ What are you exploring these days? }

현재 탐구하고 있는 분야가 있다면?

20

20

20

20

20

13

{ Who showed you affection today? }

오늘 나에게 애정을 보여준 사람은?

20

20

20

20

20

14

{ What was the last meeting that you've attended? }

마지막으로 참석한 모임은?

20

20

20

20

20

15

What do you consider
to be your biggest achievement?

지금까지 이룬 것 중 성취감이 가장 컸던 일은?

MAY

20

20

20

20

20

16

{ What is your favorite day of the week and why? }

무슨 요일을 가장 좋아하는가? 그 이유는?

20

20

20

20

20

17

{ Today you got rid of .... }

나는 오늘 .... 을(를) 제거했다.

---

20 ....

....

....

---

20 ....

....

....

---

20 ....

....

....

---

20 ....

....

....

---

20 ....

....

....

18

If you could go back in time
and change something, what would it be?

타임머신을 타고 과거로 돌아가 꼭 바꾸고 싶은 일이 있다면?

20

20

20

20

20

19

Who is the person in your life
who has passed away that you mourn the most?

주변인의 죽음 중 가장 슬펐던 사람은?

MAY

20

20

20

20

20

20

{ What's the craziest thing you've done for love? }

사랑을 위해 저지른 가장 정신 나간 짓은?

20

20

20

20

20

21

{ What's your salary? }

내 연봉은 얼마인가?

20

20

20

20

20

22

Have you argued with someone recently?
What was it about?

가장 최근에 말다툼을 한 적이 있는가?
무슨 일 때문이었나?

20

20

20

20

20

23

{ What's your hair style? }

현재 나의 헤어스타일은?

20

20

20

20

20

24

What motivated you today?

오늘 나에게 동기를 부여해준 일은?

20

20

20

20

20

25

If you could travel anywhere tomorrow, where would you go?

내일 어디든 여행할 수 있다면 가고 싶은 곳은?

20

20

20

20

20

26

{ List the things that nagged you today. }

오늘 나를 괴롭힌 일들을 적어보자.

20

20

20

20

20

27

{ What gives you comfort right now? }

현재 나에게 위안을 주는 것은?

20

20

20

20

20

28

{ Which do you prefer-the mountains or the seaside? }

산과 바다 중 어느 곳이 더 좋은가?

20

20

20

20

20

29

{ If you didn't have any responsibilities for the day, what would you do? }

휴가가 하루 주어진다면 무엇을 하고 싶은가?

20

20

20

20

20

MAY

30

{ What's the most impressive thing you read today? }

오늘 읽은 가장 인상적인 글귀는?

20

20

20

20

20

31

{ What is your total worth?
Are you in debt? }

나의 총 자산은 얼마인가? 빚은?

20

20

20

20

20

1

{ On a scale of one to ten, how healthy are you? }

나의 건강 상태를 1에서 10으로 나타낸다면?

20

20

20

20

20

2

Do you trust your instinct?

직감을 믿는 편인가?

20

20

20

20

20

3

{ Who do you miss the most right now? }

지금 이 순간 가장 그리운 사람은?

20

20

20

20

20

4

{ Today you wore .... }

오늘 나는 .... 을(를) 입었다.

20

20

20

20

20

5

{ What was the last fruit you ate? }

마지막으로 먹은 과일은 무엇인가?

20

20

20

20

20

6

{ Which family members are you closest to? }

가족 중 가장 가까운 사람은?

20

20

20

20

20

7

{ What do you feel grateful for today? }

오늘 감사하게 생각하는 일은?

20

20

20

20

20

8

What makes you miserable?

나를 불행하게 만드는 것은?

20

20

20

20

20

JUN

9

What makes a good friend?

좋은 친구란 무엇일까?

20

20

20

20

20

10

How many cups of coffee did you drink today?

오늘 커피를 몇 잔 마셨는가?

20

20

20

20

20

11

{ What is your favorite thing to do on a Friday night? }

금요일 밤을 보내는 나만의 가장 행복한 방법은?

20

20

20

20

20

12

{ Do you have a goal you want to achieve this month? }

한 달 안에 이루고 싶은 목표가 있는가?

20

20

20

20

20

13

{ Something that made you worry today ………………. }

오늘 나를 걱정하게 만든 것은 ………………(이)다.

20

20

20

20

20

14

{ Do you have a consistent workout? }

지속적으로 하고 있는 운동이 있는가?

20

20

20

20

20

15

{ What's your favorite gadget? }

가장 좋아하는 전자기기는?

20

20

20

20

20

JUN

16

{ What makes you cynical? }

나를 냉소적으로 만드는 것은?

20

20

20

20

20

17

{ The best hour today was ………………. }

오늘 가장 좋았던 시간은 언제인가?

20

20

20

20

20

18

{ What has someone recently cooked for you? }

누군가 나를 위해 요리해준 적이 있는가?

20

20

20

20

20

19

What was the last personal letter
you received?

가장 최근에 받은 편지는 누구에게서 온 것인가?

20

20

20

20

20

20

{ Write the first sentence of your autobiography. }

자서전을 쓴다면 첫 문장을 어떻게 쓰고 싶은가?

20

20

20

20

20

21

{ Who do you want to know better? }

더 가까워지고 싶은 사람이 있다면?

20

20

20

20

20

JUN

22

{ What's the last movie you saw in a theater? }

가장 최근에 영화관에서 본 영화는?

20

20

20

20

20

23

{ When was the last time you cried? }

마지막으로 울었던 적은 언제인가?

20

20

20

20

20

24

{ What's your next social engagement? }

조만간 참여해야 하는 모임이나 행사는?

20

20

20

20

20

25

{ Do you think there will be a war? }

전쟁이 일어날 것이라고 생각하는가?

20

20

20

20

20

26

Did you kiss someone today?

오늘 키스를 했는가?

20

20

20

20

20

27

{ When was the last time you ate pizza? What kind? }

마지막으로 피자를 먹은 적이 언제인가?
어떤 피자였는가?

20

20

20

20

20

28

If your mood were a weather forecast,
you'd be ....

날씨 예보처럼 기분을 표현한다면
내 기분은 ....(이)다.

20

20

20

20

20

29

{ How much do you drink? }

주량이 얼마나 되는가?

20

20

20

20

20

JUN

30

{ If you could do any job in the world for one day, what would you choose? }

딱 하루만 원하는 직업으로 살 수 있다면 무엇을 선택하겠는가?

20

20

20

20

20

1

{ Which do you value more: love or friendship? }

사랑과 우정 중에 하나를 고른다면?

20

20

20

20

20

2

{ Today you cancelled .... }

오늘 취소한 일은 .... (이)다.

20

20

20

20

20

3

{ What was the last beach you went to? }

마지막으로 가본 바다는?

20

20

20

20

20

4

{ .... is funny. }

....................은(는) 재미있다.

20

20

20

20

20

5

What is your motto?

나의 신조는 무엇인가?

20

20

20

20

20

6

Who is the most charming (or beautiful) person you know?

이 세상에서 가장 잘생겼다고(혹은 예쁘다고) 생각하는 사람은 누구인가?

20

20

20

20

20

7

{ When did you laugh the most lately? }

최근에 가장 많이 웃었던 적은?

20

20

20

20

20

8

What do you have to lose?

내가 잃을 수밖에 없는 것은?

20

20

20

20

20

9

{ Today was delightful because .... }

오늘이 유쾌했던 이유는 ....(이)다.

20

20

20

20

20

JUL

10

{ When was the last time you spoke to your parents? }

부모님과 마지막으로 대화를 나눈 적은 언제인가?

20

20

20

20

20

11

If you were a literary character, who would you be?

닮고 싶은 문학작품 속 주인공은?

20

20

20

20

20

12

{ .... is perfect. }

....................은(는) 완벽하다.

20

20

20

20

20

13

What are you sentimental about?

나를 감성에 젖게 만드는 것은?

20

20

20

20

20

14

{ Do you have a secret? More than one? }

비밀이 있는가? 하나 이상인가?

20

20

20

20

20

15

{ What is your Achilles' heel? }

나의 아킬레스건은 무엇인가?

20

20

20

20

20

16

{ Are you wearing socks? }

지금 양말을 신고 있는가?

20

20

20

20

20

17

What is your biggest strength?

나의 가장 큰 장점은?

20

20

20

20

20

18

{ What are your ingredients for a perfect day? }

완벽한 하루를 위해서는 무엇이 필요할까?

20

20

20

20

20

19

{ What do you need to throw away? }

내가 버려야 할 것은 무엇인가?

20

20

20

20

20

20

{ Does anything hurt today? }

오늘 상처받은 일이 있는가?

20

20

20

20

20

21

Who was the last person that made you angry?

가장 최근에 나를 화나게 만든 사람은 누구인가?

20

20

20

20

20

22

{ Where do you go for good ideas? }

좋은 아이디어를 떠올려야 할 때 찾는 곳은?

20

20

20

20

20

JUL

23

{ What was the last thing you cooked? }

가장 최근에 만든 요리는?

20

20

20

20

20

24

{ What's in your fridge? }

냉장고에 뭐가 들어 있는가?

20

20

20

20

20

25

{ If you could hire any artist (living or dead) to paint your portrait, who would you pick? }

(과거 또는 현존하는) 화가 중에서
초상화를 부탁하고 싶은 사람은?

20

20

20

20

20

26

{ Are you working hard, or hardly working? }

성실하게 일하는 편인가, 꾀를 부리는 편인가?

20

20

20

20

20

27

{ What can you smell right now? }

지금 무슨 냄새가 나는가?

20

20

20

20

20

28

{ Today was tough because ………………… . }

오늘 하루가 힘들었던 이유는 …………………(이)다.

20

20

20

20

20

29

{ Do you have your own idea of avoiding the heat? }

더위를 피하는 나만의 방법은?

20

20

20

20

20

30

Today was unusual because ....

오늘 평소와 달랐던 점은 ....(이)다.

20

20

20

20

20

31

{ Is there someone you would like to talk to but can't? }

무작정 다가가 말을 걸고 싶은 사람이 있는가?

20

20

20

20

20

1

{ Do you prefer a hot or a cold shower? }

차가운 물로 샤워하는 게 좋은가,
뜨거운 물로 샤워하는 게 좋은가?

20

20

20

20

20

AUG

2

Describe the place you're in right now.

지금 있는 곳을 묘사해보자.

20

20

20

20

20

3

**If you were Pinocchio,
how long would your nose be?**

내가 피노키오라면 나의 코는 지금 얼마나 길어졌을까?

20

20

20

20

20

4

{ When was the last time you were on an airplane? }

가장 최근에 비행기를 탄 적은?

20

20

20

20

20

AUG

5

{ Today you destroyed .... }

오늘 내가 망가뜨린 것은 ....(이)다.

20

20

20

AUG

20

20

6

{ What one word describes you? }

나를 한 단어로 표현한다면?

20

20

20

20

20

AUG

7

{ What was your latest awesome meal? }

최근에 가장 맛있었던 식사는?

20

20

20

20

20

AUG

8

{ Do you make enough money? }

나는 돈을 충분히 버는가?

20

20

20

20

20

9

Write down your last sent text message.

마지막으로 보낸 문자 메시지를 적어보자.

20

20

20

AUG

20

20

10

What are you running from at this moment?

지금 도망치고 싶은 일이 있다면?

20

20

20

20

20

AUG

11

{ How many stamps are in your passport? }

여권에 스탬프가 몇 개나 찍혀 있는가?

20

20

20

20

20

12

{ Which food do you choose to eat first at a buffet? }

뷔페에서 가장 먼저 먹는 음식은?

20

20

20

20

20

AUG

13

What is your favorite thing to do
on a Saturday morning?

토요일 오전을 보내는 나만의 가장 행복한 방법은?

20

20

20

AUG

20

20

14

Did you complete your to-do list for the day?

오늘 해야 할 일을 모두 끝마쳤는가?

20

20

20

20

20

15

{ What do you like best about your body today? }

내 몸 중에서 가장 마음에 드는 곳은?

20

20

20

20

20

16

{ What question (or questions) do you love to answer? }

가장 답하기 좋아하는 질문은 무엇인가?
(하나 이상 가능)

20

20

20

20

20

AUG

17

{ If you got a five year prison sentence,
how would you spend your last day before going in? }

5년 동안 교도소에 갇히게 된다면
입소 전날 무엇을 하고 싶은가?

20

20

20

20

20

18

{ What is your favorite piece of clothing in your closet? }

가장 좋아하는 옷은?

20

20

20

20

20

19

{ .... really bothered you today. }

오늘 나를 가장 신경 쓰이게 한 것은 ....(이)다.

20

20

20

20

20

AUG

20

What team are you on?

나는 어느 팀에 소속되어 있는가?

20

20

20

20

20

AUG

21

{ In 140 characters or fewer, summarize your day. }

오늘 하루를 140자 내외로 표현해보자.

20

20

20

20

20

22

{ What food do you never get tired of? }

매일 먹어도 질리지 않는 음식이 있다면?

20

20

20

20

20

AUG

23

{ When you imagine the near future, do you think it will be better or worse than now? }

앞으로 일어날 일을 상상할 때 최선의 경우를 떠올리는 편인가,
최악의 경우를 떠올리는 편인가?

20

20

20

20

20

AUG

24

{ Write your recipe for creativity. }

창의성 발휘에 필요한 요소를 적어보자.

20

20

20

20

20

25

{ What would you like to tell your father? }

아버지에게 하고 싶은 말은?

20

20

20

20

20

26

{ What's the best part about your life right now? }

현재 삶에서 가장 만족스러운 부분은?

20

20

20

20

20

AUG

27

What was the last time you worked out?

마지막으로 언제 운동했는가?

20

20

20

20

20

AUG

28

{ How would you describe your victory dance? }

나만의 승리 구호가 있다면?

20

20

20

20

20

AUG

29

{ What did you have for dinner? }

오늘 저녁으로 뭘 먹었는가?

20

20

20

20

20

30

{ Do you have a way to cheer yourself up? }

당장 기분을 좋게 하는 비법이 있는가?

20

20

20

20

20

31

What was the last wedding you attended?

가장 최근에 참석한 결혼식은?

20

20

20

20

20

1

Are you a teacher or a student?

나는 가르치는 사람인가, 배우는 사람인가?

20

20

20

20

20

2

{ Is your home clean? }

내가 사는 집은 깔끔한가?

20

20

20

20

20

SEP

3

{ Where have you found evidence of a higher power? }

신이 존재한다고 믿는가? 그 증거는?

20

20

20

20

20

4

Where do you see yourself in five years?

나는 5년 후에 어떤 모습일까?

20

20

20

20

20

5

{ Today you learned .... }

오늘 배운 것은 ....(이)다.

20

20

20

20

20

6

{ What was the last online video clip you watched? }

마지막으로 본 온라인 영상은?

20

20

20

20

20

7

{ What's the newest thing you're wearing today? }

오늘 입은 옷 중에서 가장 새것은?

20

20

20

20

20

8

{ Who are you jealous of? }

질투 나는 사람은?

20

20

20

20

20

9

{ What comes to mind when you think of fear? }

두려움 하면 떠오르는 것은?

20

20

20

20

20

10

This is utterly confusing : ....

나를 혼동하게 만드는 것은 ....(이)다.

20

20

20

20

20

SEP

11

{ What advice would you give to a second-grader? }

초등학교 2학년생에게 해주고 싶은 조언은?

20

20

20

20

20

12

{ What are you chasing at this moment? }

지금 이 순간 무엇을 좇고 있는가?

20

20

20

20

20

13

{ Write down a minor, but chronic problem. }

사소하지만 고질적인 문제를 하나 적어보자.

20

20

20

20

20

14

Your last love was ....

나의 마지막 사랑은 ....(이)다.

20

20

20

20

20

SEP

15

{ What is your favorite word? }

가장 좋아하는 단어가 있다면?

20

20

20

20

20

16

{ Are there any new additions to your family? }

최근에 새로 생긴 가족이 있다면?

20

20

20

20

20

SEP

17

{ What's your favorite snack food? }

요즘 자주 먹는 군것질거리는?

20

20

20

20

20

18

{ What's your favorite web site? }

즐겨 찾는 인터넷 사이트가 있다면?

20

20

20

20

20

19

{ What's a new place you've recently been to? }

최근에 새로 가본 곳은?

20

20

20

20

20

20

{ What's your favorite television show? }

가장 좋아하는 TV 프로그램은?

20

20

20

20

20

21

{ Where do you think your road is going? }

내 인생은 어느 길로 나아가고 있는가?

20

20

20

20

20

22

{ What shocking news have you recently learned? }

최근에 들은 충격적인 소식은?

20

20

20

20

20

23

{ Write down a quote for today. }

오늘의 명언 한마디를 적어보자.

20

20

20

20

20

24

{ When was the last time you went dancing? }

가장 최근에 클럽에 춤추러 간 적은?

20

20

20

20

20

25

{ Do you rely more on intuition than logic? }

논리보다 직감에 의존하는 편인가?

20

20

20

20

20

26

Today was amusing because ....

오늘 재미있었던 일은 .... (이)다.

20

20

20

20

20

SEP

27

{ Can you say 'no' to people without a problem? }

사람들의 무리한 부탁을 잘 거절하는 편인가?

20

20

20

20

20

28

{ How hungry are you right now? }

현재 얼마나 배가 고픈가?

20

20

20

20

20

29

Which one first, good news or bad news?

좋은 소식과 나쁜 소식 중에 무엇을 먼저 듣고 싶은가?

20

20

20

20

20

30

{ How do you get out of a rut? }

나만의 기분 전환 방법은?

20

20

20

20

20

1

{ What are you a geek about? }

광적으로 좋아하는 분야가 있다면?

20

20

20

20

20

2

{ Which do you prefer, long or short hair? }

긴 머리와 짧은 머리 중에 하나를 고르라면?

20

20

20

20

20

3

{ What was the last bad movie you watched? }

내가 본 최악의 영화는?

20

20

20

20

20

OCT

4

In three words, describe your love life.

나의 연애 생활을 세 단어로 요약해보자.

20

20

20

20

20

OCT

5

{ What question makes you anxious? }

나를 불안하고 초조하게 만드는 질문은?

20

20

20

20

20

OCT

6

Do you have any new friends?

새로 사귄 친구가 있는가?

20

20

20

20

20

7

Are you happy with your choices today?

오늘 내린 선택들에 만족하는가?

20

20

20

20

20

OCT

8

{ What is your biggest dream? }

나의 가장 큰 꿈은 무엇인가?

20

20

20

20

20

OCT

9

{ You want a new .... }

나는 새로운 ....을(를) 원한다.

20

20

20

20

20

10

{ Write down the name of someone you had a good conversation with recently. }

최근에 기분 좋은 대화를 나눈 사람의 이름을 적어보자.

20

20

20

20

20

11

{ What's the longest time you have gone without washing your hair? }

머리를 감지 않고 버틴 최장 기록은?

20

20

20

20

20

12

{ One word for today. }

오늘 하루를 한 단어로 표현한다면?

20

20

20

20

20

13

{ You have no patience for .... }

나는 ....에 인내심이 없다.

20

20

20

20

20

OCT

14

{ What expression do you overuse? }

내가 지나치게 자주 사용하는 단어는?

20

20

20

20

20

15

How much time do you spend on commuting?

출퇴근에 걸리는 시간은?

20

20

20

20

20

16

{ If you could change your name, what would it be? }

이름을 바꿀 수 있다면 무엇으로 하고 싶은가?

20

20

20

20

20

17

{ What's the most valuable thing you own? }

내가 가진 가장 값나가는 물건은?

20

20

20

20

20

18

{ Which famous living person would you want to meet for drinks? }

현존하는 유명인 중에서 술 한잔하고 싶은 사람은?

20

20

20

20

20

19

{ What was your last credit card purchase? }

가장 최근에 신용카드로 구입한 것은?

20

20

20

20

20

OCT

20

{ Who do you count on? }

내가 믿고 의지하는 사람은?

20

20

20

20

20

OCT

21

{ What new word have you learned? }

새롭게 알게 된 단어가 있다면?

20

20

20

20

20

22

{ Make a poem with your name in it. }

내 이름으로 삼행시를 지어보자.

20

20

20

20

20

23

{ Who is the last person you called today? }

가장 최근에 부재중 전화를 건 사람은?

20

20

20

20

20

24

{ Would you prefer a cat or a dog for a pet? }

강아지와 고양이 중에 기르고 싶은 동물은?

20

20

20

20

20

25

Did you get something wrong today?

최근에 한 말실수가 있다면?

20

20

20

20

20

26

{ How do you feel about your body? }

자신의 몸에 대해 어떻게 생각하는가?

20

20

20

20

20

OCT

27

{ Is there a gift you would like to give yourself? }

나에게 주고 싶은 선물이 있다면?

20

20

20

20

20

28

{ .... is completely ridiculous. }

....................은(는) 정말 말도 안 된다.

20

20

20

20

20

29

Camping or hotel?

캠핑 vs 호텔 숙박?

20

20

20

20

20

OCT

30

{ When you are fed up with someone,
can you tell them? }

누군가의 행동을 더 이상 참기 어려울 때 사실대로 말할 수 있는가?

20

20

20

20

20

31

{ What do you most want to do when the first snow falls? }

첫눈이 내리면 가장 먼저 하고 싶은 일은?

20

20

20

20

20

1

What was something you couldn't do today?

오늘 하지 못한 일은 무엇인가?

20

20

20

20

20

2

{ What's your biggest expense right now? }

현재 가장 큰 지출을 차지하는 부분은?

20

20

20

20

20

3

When did you last hold a baby?

최근에 아기를 안아본 적이 있는가?

20

20

20

20

20

4

Today you made ....

오늘 .... 을(를) 만들었다.

20

20

20

20

20

5

{ What should remain as-is? }

앞으로도 쭉 변하지 않았으면 하는 것은?

20

20

20

20

20

6

{ What compliment pleases you the most? }

가장 듣기 좋은 칭찬은?

20

20

20

20

20

7

{ Who is your hero? }

나의 영웅은 누구인가?

20

20

20

20

20

8

{ What topic are you bored talking about? }

지루하게 느끼는 대화 주제는?

20

20

20

20

20

9

Did you leave work on time?

제시간에 퇴근하는가?

20

20

20

20

20

10

{ What type of voice pleases you the most? }

가장 매력적이라고 생각하는 목소리는?

20

20

20

20

20

11

{ What do you always avoid? }

평소 피하려고 하는 것은 무엇인가?

20

20

20

20

20

12

{ Is there any day you want to choose as a national holiday? }

국경일로 정하고 싶은 날이 있다면?

20

20

20

20

20

13

{What song could be your self-portrait?}

나를 잘 나타내주는 노래는?

20

20

20

20

20

14

Have you done any impulse buying lately?

최근에 한 충동구매가 있다면?

20

20

20

20

20

15

{ Waking up today morning was .... }

오늘 아침 기상은 ....했다.

20

20

20

20

20

NOV

16

{ On a scale of zero to ten,
how long can you concentrate? }

나의 집중력 지수를 0에서 10으로 나타내보자.

20

20

20

20

20

17

{ List your three most distinctive features. }

나를 이루고 있는 특징 세 가지를 적어보자.

20

20

20

20

20

18

What is your dream job?

내가 생각하는 꿈의 직장은?

20

20

20

20

20

19

{ When was the last time you checked an online SNS? }

마지막으로 SNS에 접속한 때는?

20

20

20

20

20

20

{ What do you have to get done? }

오늘 당장 끝마쳐야 하는 일은?

20

20

20

20

20

21

{ What are your favorite shoes? }

가장 아끼는 신발은?

20

20

20

20

20

NOV

22

{ What are you trying to do? }

현재 노력하고 있는 일은?

20

20

20

20

20

23

{ What is your favorite dine-out menu? }

가장 좋아하는 외식 메뉴는?

20

20

20

20

20

24

{ List the people you would like to attend your funeral. }

나의 장례식에 부르고 싶은 사람을 적어보자.

20

20

20

20

20

25

{ How much water did you drink today? }

오늘 물을 얼마나 마셨는가?

20

20

20

20

20

NOV

26

{ What three words describe your family? }

가족을 세 단어로 표현한다면?

20

20

20

20

20

NOV

27

{ Who has been your rival for now? }

현재 나의 라이벌은 누구인가?

20

20

20

20

20

28

Would you rather stay put
or step up to a challenge?

현실에 안주하고 싶은가, 흥분되는 도전을 원하는가?

20

20

20

20

20

29

{ What five words describe your mood? }

지금 기분을 다섯 글자로 표현한다면?

20

20

20

20

20

30

{ Today you almost .... }

오늘 거의 .... 할 뻔했다.

20

20

20

20

20

NOV

1

{ What would you like your epitaph to read? }

내 묘비에 남기고 싶은 말은?

20

20

20

20

20

2

Do you prefer summer or winter?

여름이 좋은가, 겨울이 좋은가?

20

20

20

20

20

3

{ On a scale of one to ten, how happy are you? }

현재 느끼는 행복을 1에서 10으로 표현한다면?

20

20

20

20

20

4

{ Do you want to know how your life will end? }

나의 마지막이 어떨지 알고 싶은가?

20

20

20

20

20

DEC

5

{ How much money will it take to make you happy? }

재산이 얼마나 있으면 행복할까?

20

20

20

20

20

6

Today you gained ....

오늘 .... 을(를) 얻었다.

20

20

20

20

20

7

{ Where do you see yourself next year? }

나는 내년에 어떤 모습일까?

20

20

20

20

20

DEC

8

{ Who do you think is the most attractive person in the world? }

이 세상에서 가장 매력적이라고 생각하는 사람은?

20

20

20

20

20

9

What is your most recent act of generosity?

가장 최근에 관용을 베푼 경험은?

20

20

20

20

20

10

{ What surprised you today? }

오늘 나를 놀라게 한 것은?

20

20

20

20

20

11

{ How much do you weigh? }

현재 나의 몸무게는?

20

20

20

20

20

12

If you won the lottery,
what would you do first?

로또에 당첨되면 가장 먼저 하고 싶은 일은?

20

20

20

20

20

13

{ What are your biggest regrets of the year? }

올초에 계획한 일 중에서 이루지 못한 것이 있다면?

20

20

20

20

20

DEC

14

{ Why are you impressive? }

내가 대단한 이유는?

20

20

20

20

20

15

{ Moderation or excess? }

모자람 vs 과함?

20

20

20

20

20

16

{ What do you find irresistible? }

거부할 수 없는 것은?

20

20

20

20

20

17

If you had to move to a new city,
where would you move?

새로운 곳으로 이사한다면 어느 도시로 가고 싶은가?

20

20

20

20

20

18

{ What comes to your mind
when you're sitting on the toilet? }

변기에 앉아서 무슨 생각을 하는가?

20

20

20

20

20

DEC

19

{ What's your memory of the longest phone call? }

가장 오래 통화해본 기억은?

20

20

20

20

20

20

{ What is your dream vacation? }

내가 생각하는 환상적인 휴가는?

20

20

20

20

20

21

{ Until what age would you want to live? }

몇 살까지 살고 싶은가?

20

20

20

20

20

22

{ Is there any essential food you never skip for your own health? }

건강을 위해 꼭 챙겨먹는 음식이 있다면?

20

20

20

20

20

23

{ What do you always buy when you go to the mart? }

마트에 가서 꼭 사는 물건은?

20

20

20

20

20

24

{ Is there any present you'd like from Santa Claus? }

산타클로스에게 받고 싶은 선물이 있다면?

20

20

20

20

20

25

Make a five line poem using the letters in the word CHRISTMAS.

'크리스마스'로 오행시를 지어보자.

20

20

20

20

20

DEC

26

{ On a scale of one to ten,
how spontaneous were you today? }

오늘 얼마나 즉흥적으로 행동했는지 1에서 10으로 나타낸다면?

20

20

20

20

20

27

{ When was the last time you felt at peace? }

내가 생각하는 가장 평화로운 장면은?

20

20

20

20

20

28

{ Snuggle down or go out and play? }

집 안에서 뒹굴거리기 vs 밖에 나가서 놀기?

20

20

20

20

20

29

{ What are your top three wishes? }

소원 세 가지는?

20

20

20

20

20

DEC

30

{ Have you lost anything recently? }

가장 최근에 잃어버린 물건이 있다면?

20

20

20

20

20

DEC

31

{ What is your most cherished memory of this year? }

올해 가장 기억에 남는 일은?

20

20

20

20

20

DEC

옮긴이 정지현 일상의 정취가 묻어나는 이야기를 사랑하는 그녀는 미국에서 딸을 키우며 번역 활동에 대한 사랑도 함께 키워나가고 있다. 현재 출판번역 에이전시 베네트랜스에서 전속 번역가로 활동 중이다.

5년 후 나에게 : Q&A a day

1판 1쇄 발행 2015년 11월 16일
1판 21쇄 발행 2025년 2월 20일

지은이 포터 스타일 **옮긴이** 정지현
발행인 오영진 김진갑 **발행처** 토네이도미디어그룹(주)

출판등록 2006년 1월 11일 제313-2006-15호
주소 서울시 마포구 월드컵북로5가길 12 서교빌딩 2층
전화 02-332-3310 **팩스** 02-332-7741
블로그 blog.naver.com/midnightbookstore
페이스북 www.facebook.com/tornadobook
인스타그램 https://www.instagram.com/tornadobooks/

ISBN 979-11-5851-024-4 14190
979-11-5851-026-8(set)

365개의 질문 ★ 5년 ★ 1,825개의 답

이 책은 평범한 다이어리가 아닙니다. 5년 동안 당신의 삶을 간편하게 간직할 수 있도록 해주는 보물상자입니다. 일 년 중 어느 달부터 시작해도 괜찮습니다. 오늘에 해당하는 날짜를 펼치고 질문에 답을 적기만 하면 됩니다. 굳이 적어야 할 말이 없다면 건너뛰어도 좋습니다. 한 해가 다 지나면 다음 칸에 같은 질문에 대한 답을 다시 적습니다. 우리 삶에 가치와 유익, 웃음과 긍정을 불어넣는 질문에 답하다 보면 무심코 흘려보낼 뻔했던 삶의 빛나는 순간을 마음에 새겨 넣는 놀라운 기회를 만날 수 있습니다.

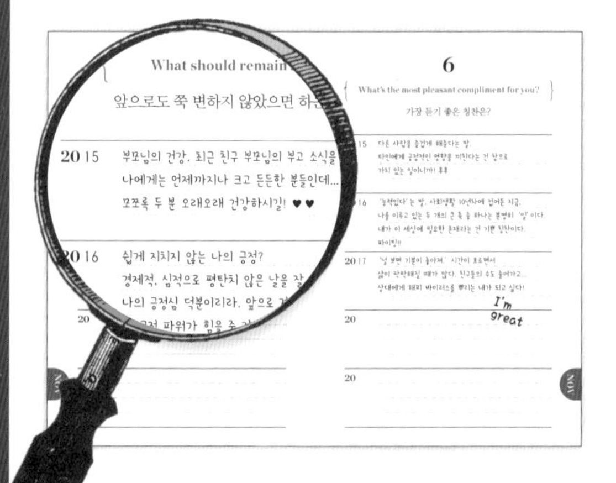

9 791158 510244
14190